INGLÉS PARA LA MUJER

Inglés para la mujer

Grupo Editorial Tomo, S.A. de C.V.,
Nicolás San Juan 1043,
03100, México, D.F.

1a. edición, noviembre 2011.

© *Inglés para la mujer*
Grupo Editorial Tomo S.A. de C.V.

© 2011, Grupo Editorial Tomo, S.A. de C.V.
Nicolás San Juan 1043, Col. Del Valle. 03100, México, D.F.
Tels. 5575-6615 • 5575-8701 y 5575-0186
Fax. 5575-6695
http://www.grupotomo.com.mx
ISBN-13: 978-607-415-346-0
Miembro de la Cámara Nacional
de la Industria Editorial No. 2961

Diseño de portada: Karla Silva
Imágenes interiores: Emigdio Guevara, Ricardo Sosa y Kevin Daniels
Diseño tipográfico: Tato Garibay
Supervisor de producción: Leonardo Figueroa

Impreso en México - Printed in Mexico

CONTENIDO

La familia – the family
(*de* famili)

Español	Inglés	Pronunciación
1. familiar	relative	(RELativ)
2. esposo	husband	(*J*USband)
3. esposa	wife	(uaif)
4. padre	father	(FAD*er*)
5. madre	mother	(M*O*D*er*)
6. papá	dad	(**d**ad)
7. mamá	mom	(**m**om)
8. padres	parents	(PERents)
9. hijo	son	(son)
10. hija	daughter	(DOT*er*)
11. hijos	children	(CHILdren)
12. sobrino	nephew	(NEFiu)
13. sobrina	niece	(nis)
14. abuelo	grandfather	(grandFAD*er*)
15. abuela	grandmother	(grandMOD*er*)
16. hermano	brother	(BROD*er*)

9 son
2 husband   3 wife   19 aunt   13 niece
6 dad   7 mom   18 uncle
1 relative
11 children   17 sister
4 father   5 mother
10 daughter   14 grandfather   15 grandmother
12 nephew
8 parents   20 cousin
16 brother

17. hermana	sister	(SISt*er*)
18. tío	uncle	(unkl)
19. tía	aunt	(**a**nt)
20. primo(a)	cousin	(COSin)

FRASES ÚTILES:

Mi padre tiene ____ años.	My father is ____ years old (mai FADer is ____ iers ould).
Mi primo vive en _____.	My cousin lives in _____ (mai COSin livs in _____).
Mi tío ya es viejo.	My uncle is an old man (mai unkl is an ould man).
Mi sobrina es muy joven.	My niece is very young (mai nis is veri iong)
Estoy casado.	I am married (ai am MARid).
Ella no está casada.	She is not married

	(shi is not MARid).
Tenemos tres hijos.	We have three children (ui jav *zri* CHILdren).
Mi esposo es mecánico.	My husband is a mechanic (mai JOSband is a meKAnic).
Tengo ___ hermanos y ___ hermanas.	1 have ___ brothers and ___ sisters (aijav ___ BRO*Ders* and ___ SIS*ters*).
Mi hermano conduce un taxi.	My brother drives a taxi (mai BRO*Der* draivs e taxi).

FRASES ÚTILES: del verbo ser o estar
—am, are, is— y adejtivos posesivos —my,
your, his, her, their.

I am	your	mother
You are	my	father
They (Luis an Tere) are	his	children

He (Miguel) is	her	husband
She (María) is	their	mother
		dad
		mom
		son
		daughter
		children
		nephew
		niece

PREGUNTAS

Am I	your	grandfather?
Are you	my	grandmother?
Is he	her	brother?
Is she	his	sister?
Are we	its	owners?
Are they	their	uncle?
		aunt?
		cousin?

RESPUESTAS CORTAS:

Yes, I am.	No, I'm not.
Yes, you are.	No, you aren't.
Yes, he is.	No, he isn't.
Yes, she is.	No, she isn't.
Yes, they are.	No, they aren't.

LA CASA -THE HOUSE
(DE JAUS)

Español	Inglés	Pronunciación
1. sótano	basement	(BEISment)
2. planta baja	ground floor	(graund flor)
3. primer piso	first floor	(first flor)
4. desván	loft	(loft)
5. tejado	roof	(ruf)
6. techo (int.)	ceiling	(SILing)
7. pared	wall	(uol)
8. chimenea	chimney	(CHIMni)
9. balcón	balcony	(BALkoni)
10. pasillo	hall	(jol)
11. puerta	door	(dor)
12. ventana	window	(UINdou)
13. tubos	pipes	(paips)
14. garaje	garage	(gaRAY)
15. cuarto de herramientas	tool shed	(tul shed)

16. terraza	terrace	(TERes)
17. escalones	steps	(steps)
18. escaleras	stairs	(steirs)
19. calentador	heater	(ЯTer)
20. cerradura	lock	(lok)
21. cerca	fence	(fens)

FRASES ÚTILES: con el vocabulario de la página 11.

¿Quién limpió el (la) _____?	Who cleaned the _____?
Yo (ai)	I cleaned the _____ (ai clind *de* _____).
Tú (iu)	You cleaned the _____ (iu clind *de* _____).
Él (ji)	He cleaned the _____ (ji clind *de* _____).
Ella (shi)	She cleaned the _____ (shi clind *de* _____).

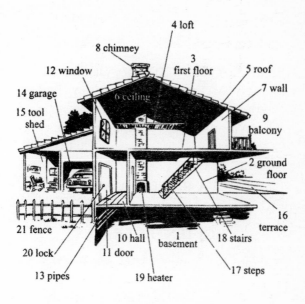

4 loft

8 chimney

3
first floor

12 window

5 roof

7 wall

14 garage

6 ceiling

9
balcony

15 tool
shed

2 ground
floor

21 fence

16
terrace

20 lock

10 hall

1
basement

18 stairs

11 door

13 pipes

19 heater

17 steps

Nosotros (ui)	We cleaned the _____ (ui clind *de* _____).
Ustedes (iu)	You cleaned the _____ (iu clind de _____).
Ellos (dey)	They cleaned the _____ (dey clind *de* _____).
¿Quién pintó el (la) _____?	Who painted the _____? (ju peinted de _____?).

SI VAS A RENTAR UNA CASA, PUEDES UTILIZAR LAS SIGUIENTES FRASES:

¿Cuánto es la renta?	How much is the rent? (*j*au much is *de* rent?).
¿Por cuánto tiempo es el contrato?	How long is the lease? (*j*au long is *de* liis?).
Puedo pagar la renta.	I can afford the rent (ai **can** *a*FORD *de* rent)

Somos cuatro en la familia.	We are four in the family (ui ar for in de FAMili).	
¿Cuándo podemos mudarnos aquí?	When can we move in? (*j*uen can ui muv in?).	
¿Puede darme un recibo por mi depósito?	Can you give me a receipt for my deposit? (kan iu giv mi a riCIT for mai dePOsit?	
La ventana está rota.	The window is broken (*de* UINdou is BROUken).	
La puerta	the door	(*de* dor)
El techo	the roof	(*de* ruf)
El piso	the floor	(*de* flor)
La cerradura está descompuesta.	The lock doesn't work (*de* lok dosnt uork).	

| La llave del agua | the faucet | *(de* FOCet) |
| el tubo | the pipe | *(de* paip) |

| El techo está goteando. | The roof is leaking. *(de* ruf is LIKing) |

La cocina

Español	**Inglés**	**Pronunciación**
1. horno de microondas	microwave oven	(MAIcroueiv ouven)
2. refrigerador	refrigerator	(reFRIyeREltr)
3. congelador	freezer	*(FRIser)*
4. armario	cupboard	(CUPbord)
5. cajón de los cubiertos	cutlery drawer	(CUtleri dror)

6. estufa   stove   (stouv)

7. horno   oven   (OUven)

8. batidora   mixer   (MIXer)

9. enchufe de wall socket (uol SOket)

pared

10. olla   pot   (pot)

11. fregadero sink   (sink)

12. escurridor dish drainer (dish DRElner)

de platos

13. lavavajillas dish washer (dish UAsher)

14. tostador   toaster   (TOUSter)

de pan

15. silla   chair   (cher)

16. mesa   table   (TElbl)

1 microwave oven
4 cupboard
5 cutlery drawer
2 refrigetator
8 mixer
3 freezer 12 dish drainer 7 oven
11 sink 6 stove
13 dish washer
9 wall socket
15 chair
10 pot
14 toaster
16 table

El comedor –
The dining room
(de DAIning rum)

Español	Inglés	Pronunciación
1. mesa	table	(TEIbl)
2. mantel	table cloth	(TEIbl cloz)
3. mantel individual	place mat	(pleis mat)
4. plato sopero	soup plate	(sup pleit)
5. plato	plate	(pleit)
6. sopera	soup turteen	(sup *turTIN)*
7. vaso de vino	wine glass	(uain glas)

8. silla	chair	(cher)
9. cortinas	curtains	(KERtins)
10. alfombra	carpet	(KARpet)
11. estante	shelf	(shelf)
12. aparador	side board	(said bord)
13. vitrina	cabinet	(KAbinet)
14. taza de café	coffee cup	(KOfi cup)
15. platillo de la tasa	saucer	*(SOser)*
16. jarrita de la leche	milk jug	(milk yug)
17. azucarera	sugar bowl	(SHUgr bol)

12 side board
8 chair
9 curtains
11 shelf
13 cabinet
3 place mat
1 table
2 table cloth
10 carpet
4 soup plate
5 plate
6 soup turteen
7 wine glass
14 coffee cup
16 milk jug
15 saucer
17 sugar bowl

Utensilios de cocina – Kitchen utensils
(KITchen iuTENsils)

Español	Inglés	Pronunciación
1. cuchara de madera	wooden spoon	(UUDen spun)
2. sartén	frying pan	(FRAing pan)
3. batería de cocina	pan set	(pan set)
4. tapadera	lid	(lid)
5. sacacorchos	corkscrew	(Cork skru)
6. cafetera	coffee pot	(KOfi pot)

FRASES ÚTILES:

Hay un _____ en la cocina.

There's a _____ in the kitchen *(ders e _____ in de* KIT chen).

El (la) _____ está en la cocina.

The _____ is in the kitchen *(de _____ is in de* KITchen)

¿Dónde está el (la) ____?	Where is the ____? (juer is *de* ____?)
Está en la cocina.	It's in the kitchen (its in *de* KITchen).

Accesorios de mesa – Tableware and cutlery
(TEIbl uer and CUTleri)

Español	Inglés	Pronunciación
1. plato de postre	dessert plate	(diSERT pleit)
2. cuchillo	knife	(naif)
3. tenedor	fork	(fork)
4. cuchara	table spoon	(TEIbl spun)
5. cucharita	tea spoon	(ti spun)
6. servilleta	napking	(NAPkin)
7. salsera	sauce boat	(sos bout)
8. panera	bread basket	(bred BASket)
9. panecillo	roll	(rol)

10. rebanada de pan	slice of bread	(slais of bred)
11. ensaladera	salad bowl	(SAlad bol)
12. pan tostado	toast	(toust)
13. mantequi-llera	butter dish	*(BUter* dish)
14. frutero	fruit bowl	(frut bol)

FRASES ÚTILES:

Pon el (la)_____. sobre la mesa.	Put the ____ on the table (put *de* on *de* teibl).
¿Hay un (una)_____. en el comedor?	Is there a _____ in the dining room? (is *der e* _____ in de daining rum?)
Sí hay.	Yes, there is (ies *der* is).
No hay.	No, there isn't (nou, *der* isnt).

8 bottle
9 indoor plant
3 armchair
4 seat cushion
5 sofa
7 ashtray
1 bookshelf
6 coffee table
2 televisión set

La sala –
The living room
(de Living rum)

Español	Inglés	Pronunciación
1. estante	bookshelf	(buk shelf)
2. televisor	televisión set	(TEle VIshn set)
3. sillón	armchair	(arm chef)
4. cojín del asiento	seat cushion	(sit KVshn)
5. sofá	sofa	(SOVfa)
6. mesa de centro	coffee table	(KOfi teibl)
7. cenicero	ashtray	(ash trei)
8. botella	bottle	(BOtl)
9. planta de interior	indoor plant	(indor plant)

FRASES ÚTILES:

Compré un (una) _____ para la sala.	I bought a _____ for the living room (ai bot e for de living rom).
Tenemos un (una) _____ en la sala.	We have a _____ in the living room (ui hav e _____ in de living rom).
Estoy puliendo el estante.	I'm polishing the bookshelf (aim POLishing de buk shelf).

Puede variar esta frase cambiando "estoy" para referirse a otras personas, y en vez de decir "books-shelf" puede mencionar otros muebles o partes de la casa:

Estás puliendo la mesa.	You 're polishing the table (iur POLishing de teibl).

Luisa está puliendo sillas.	Luisa is polishing the chairs (Luisa is POLishing *de* chers).
Álvaro está puliendo la cabecera.	Álvaro is polishing the headboard (Álvaro is POLishing *de jed* bord).
Estamos puliendo las puertas.	We're polishing the doors (uir POLishing *de* dors).
Los muchachos están puliendo los pisos.	The boys are polishing the floors (de bois ar POLishing *de* flors).

También puede utilizar otras acciones en vez de "polishing". Por ejemplo:

Estás sacudiendo la mesa.	You're dusting the table (iur DUSting *de* teibl).
Luisa está limpiando	Luisa is cleaning the

las sillas.	chairs (Luisa is KLINing *de* chers).
Álvaro está pintando la cabecera.	Álvaro is painting the headboard (Álvaro is PEINTing *de* jed bord).
Estamos trapeando la terraza.	We're moping the terrace (uir MOPing *de* TERas).
Estoy barriendo la cocina.	I'm sweeping the kitchen (aim SUIPing *de* KITchen).

La recámara –The bedroom
(de bed rum)

Español	Inglés	Pronunciación
1. cama	bed	(bed)
2. cama matrimonial	double bed	(dobl bed)
3. cabecera	headboard	(bed bord)
4. colcha	bedspread	(bed spred)
5. sábana	sheet	(shiit)
6. colchón	mattress	(MATres)
7. almohada	pillow	(PILou)
8. funda de la almohada	pillow case	(pILou keis)
9. lámpara de cabecera	reading lamp	(RIDing lamp)
10. tocador	dressing table	(DRESing teibl)
11. taburete del tocador	dressing stool	(DRESing stul)
12. espejo	mirror	*(MIRor)*

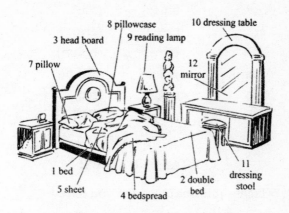

8 pillowcase
10 dressing table
3 head board
9 reading lamp
7 pillow
12 mirror
1 bed
5 sheet
2 double bed
11 dressing stool
4 bedspread

ADJETIVOS (PUEDEN USARSE PARA DESCRIBIR LOS OBJETOS QUE YA HEMOS PRESENTADO).

Grande	big	(big)
Chico(a)	small	(smol)
Moderno(a)	modern	(MODern)
Antiguo(a)	old	(ould)
Blanco	white	(juait)

Negro(a)	black	(blak)
Azul	blue	(blu)
Verde	green	(grin)
Café	brown	(brauŋ)
Amarillo	yellow	(IELou)
Rojo	red	(red)
Violeta	purple	(PURpl)

FRASES ÚTILES:

¿Tienes un (una) _____ en la recámara?	Do you have a _____ in the bedroom? (du iu hav *e* _____ in *de* bed fUro?).
El (la) _____ es nuevo(a)	The _____ is new (de _____ is niu).
El (la) _____ es viejo(a)	The _____ is old (de _____ is ould).
Éste es el cuarto de Martha.	This is Martha's room. (*d*is is Marthas rum).

Éste es el mío	This is mine (*d*is is main).
Ésta es mi computadora.	This is my computer (*d*is is mai compiuter).
Ésta es la tuya.	This is yours (*d*is is iurs).
Éstos son los juguetes de Billy.	These are Billy's toys (*d*is ar Billi tois).
Son suyos.	They are his (*d*is ar jis).
Éstas son las muñecas de Betty.	These are Betty's dolls (*d*is ar Betis dols).
Son suyas.	They are hers (*d*is ar jers).
Éstas son las camisas de los chicos.	Those are the boys' shirts (*d*ous ar *d*e bois zderts).
Son suyas.	They are theirs (*d*ei ar zdeirs).

El baño – The bathroom

(de baz rum)

Español	Inglés	Pronunciación
l. tina de baño	bath tub	(baz tub)
2. llave mezcladora	mixing faucet	(MIXing FOSit)
3. esponja	sponge	(spony)
4. toalla	towel	(taul)
5. toallero	towel rail	(taul reil)
6. papel higiénico	toilet paper	(TOIlet PEIper)
7. excusado	toilet	(TOIlet)
8. asiento del excusado	toilet seat	(TOIlet sit)
9. azulejo	tile	(tail)
10. jabón	soap	(soup)
11. jabonera	soapdish	(soup dish)
12. lavabo	washbasin	(wash BAIsin)
13. cepillo de dientes	tooth brush	(tuz brush)

14. máquina de afeitar eléctrica	electric shaver	(iLECtrik SHAIver)
15. ducha	shower cubicle	(SHOUer KIUbicl)
16. regadera	shower nozzle	(SHAUer nosl)
17. botiquín	medicine cabinet	(MEDicin KABinet)

FRASES ÚTILES:

¿Dónde está el (la) _____?	Where is the _____? (*juer* is *de* _____?)
Está cerca del (de la) _____.	It is near the _____. (it is niir *de* _____.)
Está sobre el (la) _____.	It is on the _____. (its on *de* _____.)
Está detrás del (de la) _____.	It is behind the _____. (its BIjaind *de* _____.
Está dentro del (de la) _____.	It is in the _____.) (its in *de* _____.)

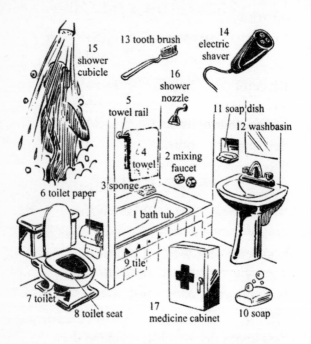

15 shower cubicle
13 tooth brush
14 electric shaver
16 shower nozzle
5 towel rail
11 soap dish
12 washbasin
4 towel
2 mixing faucet
6 toilet paper
3 sponge
1 bath tub
9 tile
7 toilet
8 toilet seat
17 medicine cabinet
10 soap

Utensilios domésticos –
Household utensils
(jaus jold uiTENsils)

Español	Inglés	Pronunciación
1. plancha	iron	(AIRen)
2. mesa (burro) de planchar	ironing board	(AIRoning bord)
3. lavadora	washing machine	(UASHing maSHIN)
4. secadora	drier	(DRAIer)
5. tendedero	clothes line	(clous lain)
6. escalera	ladder	(LADer)
7. cepillo	brush	(brush)
8. crema para zapatos	shoe polish	(shu POLish)
9. escoba	broom	(brum)
10. recogedor	dustpan	(dust pan)
11. cubeta	bucket	(BUKet)

1 iron

2 ironing board

3 washing machine

4 drier

5 clothes line

6 ladder

7 brush

8 shoe polish

9 broom

10 dustpan

12 rap

11 bucket

15 extension tube

13 vacuum cleaner

14 handle

12. trapo	rag	(rag)
13. aspiradora	vacuum cleaner	(V AKium KLINer)
14. mango	handle	(JANdl)
15. tubo de prolongación	extensión tube	(exTENshon tiub)

FRASES ÚTILES:

| Necesito un (una) _____. | I need a _____ (ai nid *e* _____). |
| Estoy usando el (la) _____. | I'm using the _____ (aim iusing *de* _____). |

LA COMIDA

Hortalizas -Vegetables
(VEYetabls)

Español	Inglés Singular	Plural
1. guisante (chícharo)	pea (pi)	peas (pis)
2. frijol (alubia)	bean (bin)	beans (bins)
3. tomate	tomato (toMEIto)	tomatoes (toMEItos)
4. pepino	cucumber (KIUkamber)	cucumbers (KIUkambers)
5. espárrago	asparagus (asPARagus)	asparagus (asPARagus)
6. rábano	radish (RADish)	radishes (RADishes)

7. zanahoria	carrot (KARot)	carrots (KARots)
8. perejil	parsley (PARSli)	---------
9. calabaza	pumpkin (pUMPkin)	pumpkins (PUMPkins)
10. cebolla	onion (Onion)	onions (Onions)
11. ajo	garlic (GARlik)	---------
12. apio	cellery (SELeri)	---------
13. espinaca	spinach (SPINich)	---------
14. col de Bruselas	---------	Brussels sprouts (BRUSels sprauts)
15. coliflor	cauliflower (COLiflaur)	cauliflowers (COLiflaurs)
16. col	cabbage (KABich)	cabbages (KABiches)

17. lechuga   lettuce   ---------
           (LETes)
18. alcachofa   artichoke   artichokes
           (ARTichouk) (ARTichouks)

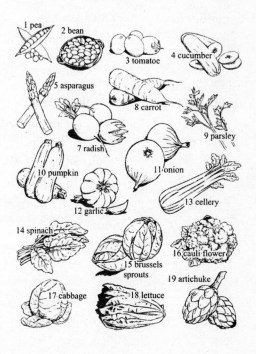

1 pea   2 bean   3 tomatoe   4 cucumber
5 asparagus   8 carrot   9 parsley
7 radish   10 pumpkin   11 onion
12 garlic   13 cellery
14 spinach   15 brussels sprouts   16 cauli flower   19 artichuke
17 cabbage   18 lettuce

FRASES ÚTILES:

Aquí cultivamos _____.	Here we cultivate _____ (jir ui CULtiveit _____).
Este platillo lleva _____.	This dish has _____ (dis dish jas _____).
Necesito _____ para la ensalada.	I need _____ for the salad (ai nid _____ for de SALad).
¿Te gusta el (la) _____?	Do you like _____? (du iu laik _____?)
Sí.	Yes, 1 do (ies ai du).
No.	No, 1 don't (nou ai dount).

Frutas – Fruits
(fruts)

Español	Inglés Singular	Plural
1. cereza	cherry (cherri)	cherries (CHErris)
2. ciruela	plum (plum)	plums (plums)
3. melocotón	peach (pich)	peaches (piches)
4. nuez	walnut *(UALnut)*	walnuts (UALnuts)
5. manzana	apple(Apl)	apples (Apls)
6. pera	pear (per)	pears (pears)
7. plátano	banana (baNAna)	bananas (baNAnas)
8. melón	melon (MELon)	melons (MELons)

9. sandía   watermelon watermelons
                   (uatr MELon)
                                  (uatr MELons)
10. piña   pineapple   pineapples
                   (pain apl) (pain apls)

PRESENT SIMPLE VERBS – COMPARATIVE AND SUPERLATIVE ADJECTIVES:

Tener – Have

I (ai)	have (jav)	rice (rais)
You (iu)	have (jav)	soup (sup)
He (ji)	has (jas)	bread (bred)
She (shi)	has (jas)	butter (barer)
They	have (jav)	hambuerguers (jamburguers)
		hot dogs (jot dogs)
		French fries (french frais)

juice (yus)
cookies
(kukis)

ME GUSTA EL PESCADO – I LIKE FISH

Me gusta la crema de almejas	I like clam chowder (ai laik clam chauder)
Te gusta la langosta	You like lobster (iu laik lobster)
A él le gustan las ostras	He likes oysters (Ji laiks oisters)
A ella le gustan los mariscos	She likes sea food (shi laiks si fud)
A ellos les gustan los camarones	They like shrimps (Dey laik shrimps)

PREGUNTAS

¿Te gustan los huevos tibos?	Dou you like boiled eggs? (Du iu laik boild egs?)
¿Comerá huevos fritos?	Does he have fried eggs? (Das ji jav fraid egs?)
¿Prefiere ella huevos poché?	Does she prefer poaches eggs? (Das shi prifer pouches egs?)
¿Ellos cocinan un omelette?	Do they cook omellette? (Do dei kuk omelet?)

RESPUESTAS CORTAS

Afirmativas	**Negativas**
Yes, I do	No, I don't
Yes, you do	No, you don't
Yes, he does	No, he doesn't

Yes, she does   No, she doesn't

Yes, they do   No, they don't

LO NEGATIVO

No disfruto el pollo.	I don't enjoy chicken. (Ai dont enyoi chiken).
No te gustan las albóndigas.	You don´t like meatballs. (Iu dont laik mitbols).
El no comió filete.	He dosn't have steak (Ji dosnt jav steik).
Ella no prefiere el hígado.	She doesn't prefer liver. (Shi dosnt prifer liver).
Ellos no cocinan chuletas de puerco.	They don't cook pork chops. (Dey dont kuk porc chops).

FRASES ÚTILES:

Los (las) _____ son baratos.	The _____ are cheap. (*De* _____ ar chip).
Las cerezas son caras	Cherries are expensive. (Cheris ar exPENsiv).
Las nueces son más caras.	Walnuts are more expenslve. (UALnuts ar mor exPENSIV).
Estas manzanas son deliciosas.	These apples are delicious. (Diis Apls ar diLISHus).
Estas manzanas son las más deliciosas.	These apples are the most delicious. (Diis Apls ar de moust diLISHus).
Los melones son grandes.	Melons are big. (MELons ar big.)
Las piñas son más grandes.	Pineapples are bigger. (pain apls ar biguer).

Las sandías son las más grandes.	Watermelons are the biggest. (uatr MELons ar de biguest).
Las peras de Martín son buenas.	Martin' s pears are good. (MARtins pers ar gud).
Las peras de María son mejores.	Mary's pears are better. (meris pers ar BET*er*).
Las peras de Susana son las mejores.	Susan's pears are the best. (SUSans pers are the best).

LA ROPA

Ropa de hombre – Men's clothes (mens clous)

Español	Inglés	Pronunciación
Español	**Inglés**	**Pronunciación**
1. traje	suit	(sut)
2. pantalón	trousers	(TRAUsers)
3. chaleco	waistcoat	(ueist cout)
4. chaqueta	jacket	(YAKet)
5. sweater cerrado	pullover	(pulouver)
6. camisa	shirt	(shirt)
7. cinturón	belt	(belt)
8. abrigo	coat	(cout)
9. guantes	gloves	(GLOUvs)
10. corbata	tie	(tai)
11. puño	cuff	(cuf)

ROPA DE HOMBRE — MEN'S CLOTHES (mens clous)

1 suit

2 trousers

3 waistcoat

4 jacket

5 pullover

6 shirt

7 belt

8 coat

9 gloves

10 tie

11 cuff

12 collar

13 T-shirt

14 handkerchief

15 scarf

16 sock

17 shoe

18 shoelace

19 underwear

12. cuello	collar	(COLar)
13. camiseta	T-shirt	(ti sh*ert*)
14. pañuelo	handkerchief	(*f*ANDkerchif)
15. pañuelo **para** el cuello	scarf	(scarf)
16. calcetín	sock	(sok)
17. zapato	shoe	(shu)
18. agujeta **de** zapato	shoelace	(shu leis)
19. ropa **interior**	underwear	(Under uer)

Ropa de mujer – Women's clothes (ulmens clous)

Español	**Inglés**	**Pronunciación**
1. vestido	dress	(dres)
2. falda	skirt	(skirt)
3. blusa	blouse	(blaus)

4. abrigo	coat	(cout)
5. chaqueta	jacket	(YAKet)
6. vestido de noche	evening gown	(IVNing gaun)
7. Traje con pantalón	trouser suit	(TRAUser sut)
8. traje sastre	skirt suit	(skirt sut)
9. vestido de dos piezas	two piece dress	(tu pis dres)
10. pantalones	slacks	(slaks)
11. falda pantalón	culottes	(kuLOTS)
12. camiseta	T-shirt	(ti shirt)
13. conjunto	twin set	(tuin set)
14. pantalón vaquero	bluejeans	(blu yins)
15. delantal	apron	(EtPron)
16. volantes	frills	(frils)
17. chal	shawl	(shol)
18. fondo	slip	(slip)

ROPA DE MUJER — WOMEN'S CLOTHES (Ulmens clous)

1 dress   2 skirt   3 blouse   4 coat   5 jacket

6 evening gown   7 trouser suit   8 skirt suit   9 two piece dress   10 slacks

11 culottes   12 T-shirt   13 twin set   14 blue jeans

15 aprón   16 frills   17 shawl   18 slip

Ropa de niños – Children's clothes (CHILdrens clous)

Español	Inglés	Pronunciación
1. conjunto de calle	pram suit	(pram sut)
2. gorro	hood	(jud)
3. zapatitos	bootees	(butis)
4. camiseta	vest	(vest)
5. vestido de calle	pinafore dress	(PINafor dres)
6. traje de punto de una pieza	one-piece jersey suit	(uan pis **YE**Rsi sut)
7. pantalones cortos	shorts	(shorts)
8. pañales	diapers	(DAIepers)
9. pantaloncito	rumper	(RUMper)
10. tirantes	suspenders	(*sus*PENders)

ROPA DE NIÑOS — CHILDREN'S CLOTHES (CHILdrens clous)

1 pram suit

2 hood

3 bootees

4 vest

5 pinafore dress

6 one-piece jersey suit

7 shorts

8 diapers

9 rumper

10 suspenders

11 jersey dress

12 leggings

13 knee length socks

11. vestido de punto	jersey dress	(**Y**E**R**si dres)
12. pantalones de trabillas	leggings	(LEGings)
13. medias calcetín	knee length socks	(ni leg soks)

Zapatos – Shoes (SHUS)

Español	Inglés	Pronunciación
1. botas	boots	(buts)
2. botas de caballero	men's boots	(mens buts)
3. botas de señora	ladies boots	(LEldis buts)
4. suela de plataforma	platform sole	(pLATform soul)
5. botas vaqueras	cowboy boots	(cau boi buts)

ZAPATOS — SHOES (SHUS)

1 boots

2 men's boots

3 ladies' boots

4 platform sole

5 cowboy boots

6 slippers

7 high heel shoe

8 pump

9 Oxford

10 clog

11 sandal

12 sneakers

6. pantuflas	slippers	(SLIP*ers*)
7. zapato alto	high heel shoe	(jaijil shu)
8. zapato de tacón	pump	(pump)
9. zapato bajo	Oxford	(OXford)
10. zueco	clog	(clog)
11. sandalia	sandal	(SANdal)
12. zapatos deportivos	sneakers	(SNIkers)

FRASES ÚTILES:

1. This is a new (niu) nuevo(a) suit.

2. That is a old (ould) viejo(a) shirt.

3. These are nice (nais) bonito(a) coats.

4. Those are comfortable (KOMfrtabl) cómodo(a) jackets.

5. There is a wonderful (UONdrful) maravilloso(a) blouse.

6. There are ugly (egli) feo(a) evening gowns.

LAS COMPRAS

El almacén –
The department store
(*De* department stor)

Español	Inglés	Pronunciación
1. cajera	cashier	(caSHIR)
2. caja registradora	cash register	(cash REYister)
3. mercancía	goods merchandise	(guds MERchan-DAIS)
4. departamento	department	(diPARTment)
5. artículos de caballero	men's wear	(mens uer)
6. Artículos de dama	ladies' wear	(LAIdis uer)
7. cliente(a)	customer	(*CUS*tomer)

8. mostrador	counter	(CAUNter)
9. dependienta	shop assistant	(shop aSIStant)
10. vendedor	salesman	(seils man)
11. vendedora	sales lady	(seils LEIdi)
12. descuento	discount	(DIScaunt)
13. precio	price	(prais)
14. ganga	bargain	(BARgen)
15. escalera mecánica	escalator	(escaLEItor)
16. elevador	elevator	(EleVEItor)
17. mantelería	table linen	(teibl LINen)
18. ropa de cama	bed linen	(bed LINer)
19. joyería	jewelry	(YULeri)
20. cortinas	curtains	(KERtens)
21. talla	size	(sais)
22. pasillo	aisle	(ail)

1 cashier

2 cash register

3 goods merchandise

4 department

5 men's wear

6 ladies' wear

7 customer

8 counter

9 shop assistant

10 salesman

11 sales lady

12 discount

13 price

14 bargain

15 escalator

16 elevator

17 table linen

18 bed linen

19 jewelry

20 curtains

21 size

22 aisle

FRASES ÚTILES:

Ayer fui de compras.	I went shopping yesterday. (ai uent shoping IESterDEI)
¿Gastaste mucho?	Did you spend a lot? (did iu spend e lot?)
Sí, gasté mucho.	Yes, I did. I spent a lot. (ies, ai did. Ai spent e lot)
No, no gasté mucho.	I didn't spend a lot. (ai didnt spend e lot.)
Trabajo en el almacén.	I work at the department store. (ai uork at de diPARTment stor).
Pedro trabaja en el almacén.	Pedro works at the department store. (Pedro uorks at de diPARTment stor)

Trabajamos en el almacén.	We work at the department store. (ui uork at de diPARTment stor)
Soy vendedor.	I'm a salesman. (aim e seilsman)
Soy vendedora.	I'm a sales lady. (aim e seils leidi)
Laura es vendedora.	Laura is a sales lady. (Lora is a seils leidi)
Estoy en el departamento de joyería	I'm in the jewehy department. (aim in de yulri diPARTment).
Estás en el departamento de ...	You'r in the ... departmeny (Iur in de... department)
Estamos en el departamento de...	We're in the... department (Uir in de... department.

¿Tiene _____?	Do you have _____?
	(du yu hav_____?)
¿Puedo probarme esto?	Can I try this on?
	(can ai trai dis on?)
No me queda.	It doesn't fit.
	(it dosnt fit)
Necesito una blusa chica.	I need a small blouse.
	(ai nid a smol blaus)
Necesito una blusa mediana.	I need a midium blouse. (ai nid a MIDiem blaus)
Necesito una blusa grande.	I need a large blouse.
	(ai nis a lary blaus)
Pagaré al contado.	I'll pay cash.
	(ail pei cash)
Pagaré con cheque	I'll pay by check
	(ail pei bai check)
Voy a usar tarjeta de crédito	I'll use a credit card.
	(ail ius e CREdit card)
¿Puedo apartar esto?	Can I put this on lay away? (can ai put dis on lei auay?)

Quisiera cambiar esto.	I'd like to change this. (aid laik tu cheinch *dis*)

FRASES ÚTILES...
SI TRABAJA
EN UNA TIENDA DE ROPA

¿Puedo ayudarle?	May I help you? (mei ai *j*elp iu?)
¿Qué talla está buscando?	What size are you looking for? (*j*uat sais ar iu luking for?)
¿Qué color le gustaría?	What color would you like? (*j*uat color du iu laik?)

CUÁNTO, PREPOSICIONES
DE LUGAR, POCO, ALGO...

I	need am looking for	a dress / some dresses
You	want are looking for	a leather belt / some leather belts
He	wants is looking for	a toaster / two toasters
She	wants is looking for	a microwave oven
They	want need are looking for	a dinner service

DIÁLOGO

¿Hay algunas revistas
en la tienda?

Are there any
magazines in the
store? (ar der eni
magazins in *de* stor?)

No hay revistas.

There aren't any
magazines. (der arnt
eni magazins)

¿Tiene algunas
nueces en la tienda?

Are there any nuts in
the store? (are der eni
nats in *de* stor?)

Sí, hay unas cuantas,
pero no son muchas.

Yes, there are some,
but there aren't
many. (ies, der ar
som, bat der arnt
meni)

¿Hay café en la mesa?

Is there any coffee on
the table? (is der eni
cofi in de teibol)

No hay mucho café	There isn't much coffee. (der isnt moch cofi)
Hay algo de hielo en la hielera	Is there any ice in the freezer? (is der eni ais in *de* frizer?)
Sí, hay un poco, pero no es mucho.	Yes, there is some, but there isn't much. (ies, der is som, bat der isnt moch)

PREGUNTAS

Do you		a table?
Does he	want to buy	curtains?
Does she	need	any cups?
Do they		

How many	seat cushions	do you
	indoor plants	
	pillows	want to
	mirrors	buy?
	bedspreads	

How much	wine	does he need?
	sugar	does she want?
	milk	do they buy?
	salt	

ARTÍCULOS DE
TOCADOR

Español	Inglés	Pronunciación
crema para el cuidado de la piel	skin care cream	skin ker crim
loción	lotion	LOshen
talco	powder	PAUdr
perfume	perfume	prFUIM
barniz de uñas	nail polish	neil POlish
laca	hair spray	her sprei
gel para el cabello	hair gel	her yel
baño de burbujas	bubble bath	bubl baz

MAQUILLAJE

lápiz labial	lipstick	lipstik
sombras de ojos	eye shades	ai sheids
base	foundation	faunDEshen
rímel	mascara	masKAra
desmaquillador	makeup remover	meikep reMUver
maquillaje de ojos	eyes makeup	ais meikep
sombras para ojos	eye shadows	ai SHAdous
delineador	eye liner	ai LAInr

LOS NIÑOS
(CAN, CAN'T – WAS, WERE)

Tengo tres hijos.	I have three kids. (ai jav zri kids)
Dos niños y una niña.	Two boys and one girl. (tu bois and uan girl)
Mike tiene diez años.	Mike is ten years old. (Maik is ten irs ould.)
Es el mayor.	He is the oldest. (ji is di OULDest)
Nancy tiene seis años.	Nancy is six years old. (NANsi is six irs ould.)
Le gusta dibujar.	She likes to draw. (Shi laiks tu dro.)
Andy tiene dos años.	Andy is two years old. (ANdi is tu irs ould.)

Es mi bebé.   He is my baby.
                          (jis mai beibi.)

MUEBLES DEL BEBÉ – BABY FURNITURE

cuna	crib (krib)
colchón para la cuna	crib mattress (krib MATres)
mesa para cambiar al bebé	changing table (CHEINying teibl)
cuna	bassinet or cradle (BASiner or kreidl)
silla alta	high chair (jai cher)
columpio de bebé	infant swing (infant suing)
portabebé	bouncer chair (BAUNser cher)
bacinica	potty chair (POTi cher)
mecedora	rocking Chair (ROKing cher)

corral	playpen (plei pen)
cofre o cesto de juguetes	toy chest or basket (toi chest or BASket)
asiento para el coche	car seat / infant seat (car sit /INfant sit)
cargador de bebé	front/back carrier (front/bak KARier)
carriola (cochecito)	stroller (STROlr)
juguetes para viajar en coche	car / travel toys (kar/ TRAvl tois)
cuna portatil para viaje	portable travel crib (PORtabl TRAvl krib)
espejo retrovisor para ver al niño	Child view mirror (chaild viu MIRer)
organizador de juguetes para viajar	Travel toy organizer (TRAvl toi orgaNAIsr)
recipientes para bocadillos	Snack containers (snak konTEIners)

Pañalera – Diaper bag

pañales	diapers (daiaprs)
botellas	bottles (botls)
medidor	formula dispenser (formiula dispensr)
toalla	towel (taul)
crema	cream (krim)
talco	talc (talk)
recipiente de comida	food container (fud konteinr)
cobija	blanket (blanket)

Botellas - Bottle
FEEDING

botellas de cuatro onzas	four ounce bottles (for auns botles)
botellas de ocho onzas	eight ounce bottles (eigt auns botles)
chupones de flujo rápido	fast flow nipples (fast flou nipls)

chupones de flujo lento	slow flow nipples (slou flou nipls)
cepillos para botellas	bottle brushes (botl breshes)
baberos	bibs (bibs)
toallita para hacer eructar al bebé	burp pads (brp pads)
equipo para esterilizar	sterilizer kit (sterelaiser kit)
calentador de botellas	bottle warmer (botl uarmr)
botellas desechables	disposable bottle kit (dispousabl botl kit)
licuadora	food grinder/blender (fud graindr/ blendr)

LACTANCIA - BREAST FEEDING

sacaleche	breast pump (brest pemp)

loción para pezones	nipple lotion (nipl loushen)
almohadilla para el pecho	breast pads (brest pads)
brasier para amamantar	nursing bras (nersing pads)
botellas para guarda leche	bottles for storing milk (botls for storing milk)
cepillo para botellas	bottle brush (botl bresh)

ALIMENTOS SÓLIDOS - SOLID FEEDS

tenedor para comer	feeding fork (fiding forks)
cuchara	feeding spoon (spun)
tazón	feeding bowl (bol)
taza	training cup (treining)

BAÑO – BATHING

tina de plástico	infant plastic bathtub (infant plastik bazteb)
toallas con capucha	hooded towels juded tauls)
toallitas para bañar al bebé	washcloths for bathing baby (uashcouds for baiding baibi)
alfombrilla de baño	bath mat (baz mat)
jabón corporal	body wash (badi uash)
loción corporal para bebé	baby bathing lotion (beibi beiding loushen)
aceite	baby bathing oil (beibi beiding oil)
champú para bebé	baby shampoo (beibi shampu)

JUGUETES DE NIÑOS – BOYS TOYS

A los niños les gusta jugar con – Boys like to play with:

Español	Inglés	Pronunciación
trompos	spinning tops	spining tops
lápices de colores	color pencils	kolor pensils
saltador (cangurín)	pogo sticks	pogo sticks
coches	cars	kars
barcos	ships	ships
caballos	horses	*j*orses
silbatos	whistles	*j*uisls
rompecabezas	jigsaw puzzles	yiggso pesls
tambores	drums	drums
sonajas	rattles	ratles
guitarras	guitars	guitars
armónicas	harmonicas	jarmonicas

carritos	roller riders	roler raidrs
bicicletas	bikes	baiks
juegos de química	science kits	saiens kits
castillos y fuertes	castles and forts	kasls and forts

JUGUETES DE NIÑA – GIRLS TOYS

Las niñas aman – Girls love:

Español	**Inglés**	**Pronunciación**
muñecas	dolls	dols
casas de muñecas	dolls' houses	dols jauses
juegos de té	toy tea sets	toi ti sets
vestidos de princesa	princess dresses	prinses dreses
títeres de mano	hand puppets	jand popets
osos de peluche	teddy bears	tedi bers

cocina de juguete	toy kitchen	toi kitchen
patines	roller skates	roler skeits

JUEGOS DE NIÑOS Y NIÑAS – GAMES FOR BOYS AND GIRLS

escondidas	hide and seek	jaid and sik
policías y ladrones	cops and robbers	cops and robrs
roña	play tag	plei tag
avioncito (tejo o rayuela)	hopscotch	hopsoch

PARTES DEL CUERPO

PARTES DEL CUERPO

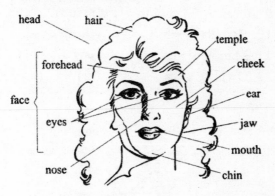

Cabeza y cara

Español	Inglés	Pronunciación
1. Cabeza	head	(*j*ed)
2. Cabello	hair	(*j*er)
3. Frente	forehead	(FOR *j*ed)
4. Cara	face	(feis)
5. Sien	temple	(TEMpl)

6. Ojos	eyes	(ais)
7. Mejilla	cheek	(chik)
8. Nariz	nose	(nous)
9. Boca	mouth	(maud)
10. Barbilla	chin	(chin)
11. Mandíbula	jaw	(*yo*)
12. Oreja	ear	(iir)

El cuello

Español	Inglés	Pronunciación
1. Cuello	neck	(nek)
2. Garganta	throat	(zrout)

3. Nuca   nape of the (neip of *de* nek)
      neck

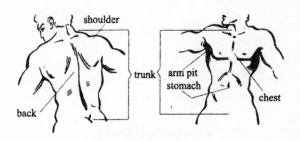

El tronco

Español	Inglés	Pronunciación
1. Tronco	trunk	(trunk)
2. Espalda	back	(bák)
3. Hombro	shoulder	(SHOULder)
4. Axila	arm pit	(arm p*i*t)
5. Pecho	chest	(chest)
6. Estómago	stomach	(STOmak)

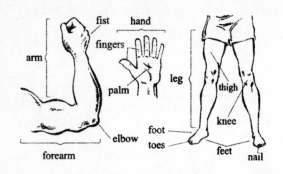

Extremidades

Español	Inglés	Pronunciación
1. Brazo	arm	(arm)
2. Codo	elbow	(ELbou)
3. Antebrazo	forearm	(FORarm)
4. Mano	hand	(*j*and)
5. Puño	fist	(fist)
6. Palma	palm	(polm)
7. Dedos	fingers	(FINGers)
8. Pierna	leg	(leg)
9. Muslo	thigh	(*z*ai)

10. Rodilla	knee	(ni)
11. Pie	foot	(fut)
12. Pies	feet	(fit)
13. Uña	nail	(neil)
14. Dedos de los pies	toes	(tous)

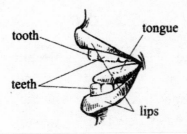

La boca

Español	Inglés	Pronunciación
1. Diente	tooth	(tuz)
2. Dientes	teeth	(tiz)
3. Lengua	tongue	(tong)
4. Labios	lips	(lips)

El ojo

Español	Inglés	Pronunciación
1. Ceja	eye brow	(ai brau)
2. Párpado	eye lid	(ai *lid*)
3. Pestaña	eye lash	(ai lash)

Algunos órganos del cuerpo

Español	Inglés	Pronunciación
1. Glándula tiroides	thyroid gland	(DAIroid gland)
2. laringe	larinx	(LARinx)
3. tráquea	trachea	*(TRAkea)*

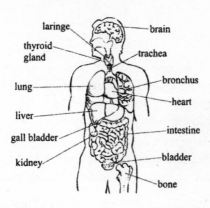

laringe — brain

thyroid gland — trachea

lung — bronchus

— heart

liver —

gall bladder — intestine

kidney — bladder

— bone

4. bronquios   bronchus   (BRONkus)

5. pulmón   lung   (lung)

6. corazón   heart   (*j*art)

7. hígado   liver   (L*I*Ver)

8. cerebro   brain   (brein)

9. vesícula   gall bladder   (gal *BLADer*)
biliar

10. intestino   intestine   (inTEStin)

11. riñón   kidney   (KIDni)

12. vejiga   bladder   (*BLADer*)

13. hueso   bone   (boun)

Ir al médico

Si tú o alguno de tus familiares tienen una emergencia médica, vayan a un hospital de inmediato. En muchas ciudades hay hospitales de bajo costo o gratuitos.

Si la persona que tuvo la emergencia médica no se puede mover, llama al 911 o a la operadora para que manden a los paramédicos.

Estas frases pueden serte de utilidad:

Ésta es una emergencia	This is an emergency (dis is an emERyenci)
Hubo un accidente	There has been an accident. (der jas bin an ACCident)
Mi hijo está muy enfermo.	My child is very sick. (mai chaild is veri sik)
Mi esposo está muy enfermo.	My husband is very sick.(mai JUSband is veri sik)

Mi esposa está muy enferma.	My wife is very sick. (mai uaif is veri sik)
Mi hijo tomó veneno.	My child took poison.(mai chaild tuk POIson)
Mi hijo tomó píldoras.	My child took pills. (mai chaild tuk pils)
Mi hijo tomó drogas.	My child took drugs. (mai chaild tuk drugs)
Mi esposa tiene dolores de parto seguidos.	My wife has labor pains close together (mai uaif jas LElbor peins clous toGEder)
Por favor mande una ambulancia.	Please send an ambulance (pliis send an AMbiulans)
Por favor mande a los paramédicos	Please send the paramedics.(plis send de paraMEDics)
Necesito ayuda.	I need help. (ai nid jelp)

Mi nombre es _____. My nane is _____.

(mai neim is _____.)

Mi dirección es   My address is

_____.   _____.

(mai ADres is _____.)

Diferentes tipos de emergencias

ESTOY _____. I AM _____.

(ai am) _____.

ÉL ESTÁ _____. HE IS _____.

(ji is) _____.

ELLA ESTÁ _____.SHE IS _____.

(shi is) _____.

ELLOS (ELLAS)   THEY ARE _____.

ESTÁN _____.   (dei ar) _____.

Español	Inglés	Pronunciación
sangrando	bleeding	(BLIding)

inconsciente	unconscious	(unCONshes)
herido(a)	injured	(INchurd)
quemado(a)	bumed	(burnd)
asfixiando	choking	(CHOUking)
mordido por un perro	bitten by a dog	(BITn bai a dog)
con dolores de parto	with labor pains	(uid LElbor peins)
con dolores en el pecho	with chest pains	(uid chest peins)
vomitando	vomiting	(VOMiting)
mareado(a)	dizzy	(disi)
con nauseas	nauseus	(NOshes)
Le dispararon	he has been shot	(ji jas bin shot)

TENGO _____. I HAVE _____.

(ai jav) _____.

ÉL TIENE _____. HE HAS _____.

(ji jas) _____.

ELLA TIENE _____. SHE HAS _____.

(shi jas) _____.

ELLOS TIENEN	THEY HAVE
_____.	_____.
	(dei jav) _____.
TENEMOS _____.	WE HAVE _____.
	(ui jav) _____.

picazón	itches	(ITches)
asma	asthma	(ASma)
tos	a cough	(a kef)
fiebre	fever	(FIVer)
escalofríos	chills	(chils)
gripe	the flu	(de flu)
garganta irritada	a sore throat	(a sour zrout)
un resfriado	a cold	(a could)
la nariz tapada	a stuffed nose	(a stuft nous)
estreñimiento	constipation	(kenstiPAIshon)
una alergia	an allergy	(an ALEryi)
dolor de cabeza	a headache	(a JEDeik)
dolor de estómago	a stomach ache	(a STOmek eik)

dolor de oído	an ear ache	(an IReik)
hemorroides	hemorrhoids	(JEmoroids)
presión alta	high blood pressure	(jai blod PREshur)
una fractura	a fracture	(a FRACchur)
una torcedura	a sprain	(a sprein)

Qué decirle al doctor

Me gustaría hacer una cita.	I'd like an appointment (aid laik an aPOINTment)
Hace ___ días estoy enfermo.	I've been sick for ___ days. (aiv bin sik for ___ deis)
Hace ___ días está enfermo.	He's been sick for ___ days (jis bin sik for ___ deis)
Hace ___ días está enferma.	She's been sick for ___ days (shis bin sik for ___ deis)

Mi _____ está hinchado(a)	My _____ is swollen. (mai _____ is SUOlen)
Me duele el (la) _____.	My _____ hurts. (mai _____ jurts)

En el hospital

Necesito un doctor.	I need a doctor. (ai nid a DOCtor)
Necesito una enfermera.	I need a nurse (ai nid a nurs)
Necesito una pastilla para el dolor.	I need a pain pill. (ai nid a pein pil)
No puedo respirar.	I can't breath. (ai cant briz)
No puedo dormir.	I can't sleep. (ai cant slip)
¿Cómo está mi bebé?	How's my baby? (jaus mai BEIbi?)
¿Puedo ver a mi bebé?	Can 1 see my baby? (can ai si mai BEIbi?)

¿ Cuándo puedo irme a casa?

When can 1 go home? (juen can ai gou joum?)

Si vas al dentista

Me duele la muela

My tooth hurts (mai tuzjurts.)

Mi diente está flojo.

My tooth is loose. (mai tuz is lus.)

Mis encías están sangrando.

My gums are bleeding (mai gums ar BLlding)

Perdí un empaste.

I lost a filling (ai lost a FILing)

Me rompí un diente.

I broke a tooth. (ai brouk a tuz.)

Rompí mi dentadura postiza.

I broke my denture (ai brouk mai DENchure.)

Quiero que me saque la muela.

I want my tooth pulled. (ai uant mai tuz puld)

No quiero que me saque la muela.	I don't want my tooth pulled. (ai dount uant mai tu**z** puld)
Quiero anestesia.	I want novocaine. (ai uant NOUveKEIN)
No quiero anestesia.	I don't want novocaine. (ai dount uant NOUveKEIN)
¿Necesita (él o ella) frenillos?	Does he (she) need braces? (dos ji (shi) nid BREIsis?)

Español	**Inglés**	**Pronunciación**
Cepillo de dientes	toothbrush	(tu**z** brush)
Pasta de dientes	toothpaste	(tu**z** peist)
Hilo dental	dental floss	(DENtel flos)

Si vas a ver al oculista

Necesito lentes nuevos.	I need new glasses. (ai nid niu GLASes)
¿Necesito lentes nuevos?	Do I need new glasses? (du ai nid niu GLASes?)
Necesito aros nuevos.	I need new frames (ai nid niu freims)
¿Necesito aros nuevos?	Do I need new frames? (du ai nid niu freims)
¿Necesito bifocales?	Do I need bifocals? (do ai ned baiFOCls?)
¿Necesito lentes de contacto	Do i need contact lenses? (do ai nid CONtact LENses?)
Mis lentes están rotos.	My glasses are broken (mai GLASes ar BROUken)
Veo doble.	I have double vision. (ai hay Dobl viSHON)

Tengo la vista nublada.	I have blurred vision. (ai hay blurred viSHON)
Tengo cataratas.	I have cataracts. (ai jav KATeracts)
No veo bien.	I can't see well. (ai kant si uel)
Mi ojo está hinchado.	My eye is swollen (mai ai is SUOln)
¿Cuándo estarán listos mis lentes?	When will my glasses be ready? (juen uil mai GLASes bi REdi?)

LAS ACTIVIDADES
DIARIAS

FRASES ÚTILES:

¿Quién limpió el (la) _____?	Who cleaned the _____? (ju clined *de* _____?)
Yo (ai)	I cleaned the _____. (ai clind *de* _____.)
Tú (iu)	You cleaned the _____. (iu clind *de* _____.)
Él (ji)	He cleaned the _____. (ji clind *de* _____.)
Ella (shi)	She cleaned the _____ (shi clind *de* _____.)
Nosotros (ui)	We cleaned the _____. (ui clind *de* _____.)

Ustedes (iu)	You cleaned the _____. (iu clind *de* _____.)
Ellos (dey)	They cleaned the _____. (dey clind de _____.)
¿Quién pintó el _____?	Who painted the (la) _____? Gu peinted de _____?)

MÁS FRASES ÚTILES:

Compré un (una) _____ para la sala.	I bought a _____ for the living room. (ai bot e _____ for de living rom.)
Tenemos un (una) _____ en la sala.	We have a _____ in the living room. (ui hav e _____ in de living rom.)
Estoy puliendo el estante.	I'm polishing the bookshelf. (aim POLishing *de* buk shelf)

Puede variar esta frase cambiando "estoy" para referirse a otras personas, y en vez de decir "books-shelf" puede mencionar otros muebles o partes de la casa:

Estás puliendo la mesa.	You're polishing the table. (iur POLishing *de* teibl)
Luisa está puliendo las sillas.	Luisa is polishing the chairs. (Luisa is POLishing *de* chers)
Álvaro está puliendo la cabecera.	Álvaro is polishing the headboard. (Álvaro is POLishing *de jed* bord)
Estamos puliendo las puertas.	We're polishing the doors. (uir POLishing *de* dors)
Los muchachos están puliendo los pisos.	The boys are polishing the floors. (de bois ar POLishing *de* flors)

También puede utilizar otras acciones en vez de "polishing". Por ejemplo:

Estás sacudiendo la mesa.	You're dusting the table. (iur DUSting de teibl)
Luisa está limpiando las sillas.	Luisa is cleaning the chairs. (Luisa is KLINing de chers)
Álvaro está pintando la cabecera.	Álvaro is painting the headboard. (Álvaro is PEINTin de jed bord)
Estamos trapeando la terraza.	We're moping the terrace. (uir MOPing de TERas)
Estoy barriendo la cocina.	I'm sweeping the kitchen. I (aim SUIPing de KITchen)

Utensilios domésticos – Household utensils (jaus jold uiTENsils)

Español	**Inglés**	**Pronunciación**
1. plancha	iron	(AIRen)

2. mesa (burro) de planchar	ironing board	(AIRoning bord)
3. lavadora	washing machine	(UASHing maSHIN)
4. secadora	drier	(DRAIer)
5. tendedero	clothes line	(clous 1ain)
6. escalera	ladder	(LADer)
7. cepillo	brush	(brush)
8. crema para zapatos	shoe polish	(shu POLish)
9. escoba	broom	(brum)
10. recogedor	dustpan	(dust pan)
11.cubeta	bucket	(BUKet)
12. trapo	rag	(rag)
13. aspiradora	vacuum cleaner	(V AKium KLINer)
14. mango	handle	(JANdl)
15. tubo de prolongación	extensión tube	(exTENshon tiub)

1 iron
2 ironing board
3 washing machine
4 drier
5 clothes line
6 ladder
7 brush
8 shoe polish
9 broom
10 dustpan
12 rap
11 bucket
15 extension tube
13 vacuum cleaner
14 handle

In the house

¿Quién limpió el cuarto?	Who cleaned the bedroom? (ju klind de bedrum?)
¿Quién pintó las ventanas?	Who painted the windows? (ju PEINtid de uindous?).
¿Quién sacudió la mesa?	Who dusted the table? (ju DUSTid de teibol?).
¿Quién lavó los platos?	Who washed the dishes? (ju uasht de dishes?).
¿Quién planchó la ropa	Who ironed the clothes? (ju AIRend de clouds).
¿Quién cocinó la cena?	Who cooked the supper? (ju kukt de *so*eper).

Los siguientes ejercicios ya deberás dominarlos, así que sólo pondremos la traducción del verbo y tú tendrás que recordar el sonido y significado de la frase.

Diálogo:

Did you clean the living room? (limpiar)

Yes, I did   No I didn't

Did he paint the door? (pintar)

Yes, he did   No he didn't

Did she dust the chairs? (Sacudir)

Yes, she did   No she didn't

Did they wash the curtains? (lavar)

Yes, they did   No they didn't

_____ iron the shirts? (planchar)

Yes, _____ did   No _____ didn't

_____ cook the meat? (cocinar)

Yes, _____ did   No _____ didn't

Who broke the glass? (romper)

Who brought the fruit? (trajo)

Who bought the flowers? (comprar)

Who drank the juice? (beber)

Who ate here yesterday? (comer)

Who found the lost keys? (encontrar)

Who heard the telephone? (escuchar)

Who paid the rent? (pagar)

Who made the beds? (hacer)

Who spent the money? (gastar)

Did you break the cup?

Yes, I did   No I didn't

Did he bring the plants?

Yes, he did   No he didn't

Did she buy the food?

Yes, she did   No she didn't

Did they drink the milk?

Yes, they did   No they didn't

Did you eat the cake?

Yes, I did   No I didn't

Did he find the dog?

Yes, he did   No de didn't

Did she hear the doorbell?

Yes, she did   No she didn't

Did they pay the bill?

Yes, they did   No they didn't

La hora

Time: 22:10

¿Qué hora es?	What time is it? (juat taim is it).
Son las diez en punto.	It's ten o'clock.
Son las diez y cinco.	It's five past ten.
Son las diez y cuarto.	It's a quarter past ten.
Son las diez y media.	It's half past ten / it's ten thirty.
Son veinte para las diez.	It's twenty to eleven.

Español	Inglés	Pronunciación
Hora	hour	aur
minuto	minute	MInet
segundo	second	SEcond

día	day	dei
semana	week	uik
mes	month	monz
año	year	ier
siglo	century	CENturi
fin de semana	week end	uik end

Partes del día

Español	Inglés	Pronunciación
Mañana	morning	MORning
mediodía	noon	nun
tarde (primeras horas)	afternoon	afterNUN
noche (no muy tarde)	evening	IVning
noche	night	nait
medianoche	midnight	MIDnait

Fechas especiales

Español	Inglés	Pronunciación
Día festivo	holiday	JOlidei
Aniversario	anniversary	aniVERsari
Cumpleaños	birthday	BIRZdei
Año nuevo	New Year	niu ier
Pascua	Easter	Ister
Navidad	Christmas	KRISmas

El clima

Hace frío   it´s cold   its could

hace calor   It's hot   its jot

Está soleado   it's sunny   its s*u*ni

Está nublado   it's cloudy   ist CLAUdi

Está lloviendo it's raining   its REIning

Está nevando it's snowing   its SNOUing

Fechas

DÍAS DE LA SEMANA

Español	Inglés	Pronunciación
lunes	monday	MONdei
martes	tuesday	TIUSdei
miércoles	wednesday	UENSdei
jueves	thursday	ZURSdei
viernes	friday	FRAIdei
sábado	saturday	SAturdei
domingo	sunday	SUNdei

MESES DEL AÑO

enero	january	Yanuari
febrero	february	FEbruari
marzo	march	march
abril	april	eipril
mayo	may	mei
junio	june	yun
julio	july	yuLAI
agosto	august	OGost

septiembre	september	sepTEMber
octubre	october	ocTOUber
noviembre	november	noVEMber
diciembre	december	diCEMber

EJEMPLO:

¿Qué fecha es hoy?	What's the date (juats de deit?)
Hoy es martes 14 de mayo	Today is tuesday, may 14. (TUdei is IUsdei, mei forTIN)

Expresiones relacionadas con el tiempo

Español	Inglés	Pronunciación
ayer	yesterday	IESterdei
anoche	last night	last nait
la semana pasada	last week	last uik
el año pasado	last year	last ier

hace dos horas	two hours ago	tu aurs ahO
hace cuatro días	four days ago	four deis agO
hace diez años	ten years ago	ten iers agO
hoy	today	tuDEI
esta mañana	this morning	dis MORning
esta tarde	this afternoon	dis afterNUN
esta noche	tonight	tuNAIT
a las ocho	at eight o'clock	at eir o clok
mañana	tomorrow	tuMOrrou
el año que viene	next year	next ier
la semana que viene	next week	next uik
el próximo mes	next month	next monz

Estaciones del año

Español	Inglés	Pronunciación
primavera	spring	spring
verano	summer	S*U*mer
otoño	autumm	ot*u*m
	fall	fol
invierno	winter	UINter

Questions & phrases

Do you get up early?

Yes, I do   No, I don't.

Does he/she take a shower every day?

Yes, he/she does   No, he/she doesn't

Do you have eggs for breakfast?

Yes, we do   No, we don't

Who works in a bookstore?

My husband works in a bookstore.

Who takes the children to school?

Sometimes I do.   Sometimes my
                                   husband does.

What do the children do on Thursdays?
They have sports practice on Thursdays.

I get up at seven o'clock every day.

My sister gets up at _____.

I take a shower every day.
Then I get dressed

My children get dressed to go to
school.

I serve breakfast at a quarter past eight.

We have scrambled eggs for breakfast.

I take the children to school on Monday,
Tuesday and Wednesday.

My husband takes the children to school on
Thursday and Friday.

The children don't go to school on Saturday
and Sunday.

My husband leaves the house at eight thirty.

He starts work at nine o'clock.

He works in a bookstore.

We have lunch together on Sundays.

I go to work by bus, my husband takes the
subway.

I pick up the children at two o'clock on Monday, Wednesday and Friday.

The children have sports practice on Tuesday and Thursday.

My husband picks up the children at five o'clock on Tuesday and Thrusday

We have dinner at about seven o'clock.

The children go to bed early.

My husband and I go to bed late.

Qué hacer en horas de descanso

I usually read a book after dinner.

My husband always watches football games on TV during the weekend.

The children sometimes play video games after school.

We normally listen to the radio in the afternoon.

We never go out after nine p.m.

EL TELÉFONO

Español	Inglés	Pronunciación
Telefonear	to telephone	(tu TELefoun)
Hacer una llamada	to make a call	(tu meik *e* col)
Levantar la bocina	pick up the receiver	(pik up *de riSlver)*
Marcar un número	dial a number	(daial *e NUMber)*
Esperar	wait	(ueit)
Escuchar	hear	(*jïer)*
Cortar	cut	*(kut)*
Colgar	hang up	(jang up)
Hacer una llamada de larga distancia	make a long distance call	(meik *e* long disTANS col)
Aceptar los cargos	accept the charges	(akCEPT *de* charyes)
Recibir	receive	(riSIV)
Usar	use	(ius)

Costar	cost	(cost)
Teléfono	telephone	(TELefon [foun]) [phone]
Auricular	receiver	(riSIver)
Cable	wire	(uair)
Tono para marcar	dial tone	(daial toun)
Número	number	(NUMber)
Directorio	directory	(diREKtori)
Cuenta del teléfono	telephone bill	(TELefon bil)
Teléfono público	public telephone	(PUBlic TELefon)
Operador(a)	operator	(OpeREItr)
Larga distancia	long distance	(long DIStans)
Llamada por cobrar	collect call	(coLECKT col)
La línea está ocupada	the line is busy	(*de* lain is bisi)

Si hablas a la Compañía de Teléfonos, te pueden ser útiles estas frases:

Quiero tener un teléfono.	I want to get a telephone. (ai uant to get a TELefon)
¿Cuándo lo instalan?	When will you install it? (juen uil iu insTOL it?)
Ya pagué mi cuenta.	I already paid my bill. (ai olREdi peid mai bil)
No corte el servicio, por favor.	Please don't cut fue service. (plis dount cut *de* SERvis)
Mi teléfono no funciona.	My telephone isn't working. (mai TELefon isnt UORking)
¿Cuándo pueden repararlo?	When can you repair it? (*j*uen can iu riPAIR it?)

Si quieres hacer una llamada telefónica, estas frases te podrían ayudar:

¿Dónde hay un teléfono público?	Where is a pay phone? (*j*uers *e* pei foun?)

| ¿Puedo usar el teléfono? | May I use the phone? (mei ai ius *de* foun?) |

Estas frases pueden serte útiles al hablar con una operadora de la compañía de teléfonos:

Quiero hacer una llamada por cobrar	I want to make a collect call. (aiuant tumeike coLECT col.)
Yo tenía el número equivocado	I had a wrong number (aijad *e* rong NUMb*er*)
Deme el área para _____, por favor.	Please give me the area number for _____. (plis, giv mi *de* erea NUMber for _____.)
Por favor deme el número telefónico de_____.	Please give me the phone number of _____. (plis giv mi *defoun* NUMber of _____.)

Las siguientes frases le ayudarán a hacer y a contestar llamadas telefónicas:

¿Puedo hablar con con _____?	May I speak to to _____? (mei ai spik tu _____?)
No está aquí.	He (She) is not here. (Ji [shi] is notjiir.)
Regresará en una hora.	He (she) will be back in an hour. (Ji [shi]uil bi bak in an aur)
¿Puedo tomar el saje?	Can I take the men- message? (can ai teik *de* MESiy)
¿Quién habla?	Who's calling? (jus COLing?)

Diálogo
CÓMO CONTESTAR EL TELÉFONO

*aquí no hay pronunciación, practica y recuerda

Hola	Hello?

Gracias por llamar, Librería Gordon, habla Julia, ¿puedo ayudarle?	Thank you for calling Gordon's Bookstore, Julia speaking, how can I help you?
Oficina del doctor_____	Doctor _____'s office.

PARA PRESENTARTE

Hola Andrea, soy Laura	Hi Andrea. It's Laura calling.
Hola, habla Juanita Méndez	Hello, this is Juanita Méndez calling.
Hola, soy Gloria del consultorio del doctor.	Hi, it's Gloria from the doctor's office.
Habla ella.	This is she.
Soy yo.	Speaking.

CÓMO PREGUNTAR POR ALGUIEN

¿Está Lupita?	Is Lupita in?
¿Está ahí Carlos?	Is Carlos there, please?

¿Puedo hablar con tu hermana?	Can I talk to your sister?
¿Puedo hablar con el señor González, por favor?	May I speak with Mr. González, please?
¿Se encuentra el doctor?	Would the doctor be in?

PARA PASAR UNA LLAMADA

Un segundo. Voy a buscarlo.	Just a second. I'll get him.
Espera un segundo.	Hang on one second.
Por favor espere, lo comunico a su oficina.	Please hold and I'll put you through to his office.
Un momento, por favor.	One moment please.

PARA PEDIR ALGO

¿Puede repetir eso?	Could you please repeat (riPIT) that?

¿Podría deletrearme eso?	Would you mind spelling that for me?
¿Podría hablar un poco más fuerte, por favor?	Could you speak a little louder [laudr] please?
¿Podría hablar un poco más despacio por favor? Mi inglés no es muy bueno.	Can you speak a little slower please. My English isn't very good.
¿Puede volver a llamarme? Creo que mi conexión es mala	Can you call me back? I think we have a bad connection.
¿Puede esperar un un minuto? Tengo otra llamada.	Can you please hold for a minute? I have another call.

TOMANDO RECADOS

Silvia no está, ¿quién llama?	Silvia's not in. Who's this?
Los siento, Luis no está por el momento, ¿puedo saber quién habla?	I'm sorry, Luis is not here at the moment. Can I ask who's calling?

Creo que no está aquí. ¿Quiere dejarle un recado?	I'm afraid he is not here. Would you like to leave a message?
Salió a comer en este momento. ¿Quién habla, por favor?	He's having lunch right now. Who's calling please?
Está ocupado por el momento. ¿Podría llamerle más tarde	He's busy [bisi] right now. Can you call again later?
Le diré que llamaste.	I'll let him know you called.
Me aseguraré de que reciba el mensaje	I'll make sure she gets the message [MEsiy].

DEJANDO RECADOS

Sí, soy Martha de la librería Gordon. ¿Cuándo cree que regrese?	Yes, it's Martha from Gordon's Bookstore. When do you expect her back?
Sí, dígale que llamó su esposa, por favor.	Yes, can you tell him his wife called, please.

No, está bien, llamo más tarde.

No, that's okay, I'll call back later.

Gracias, ¿puede decirle que le llame a Rosario cuando regrese?

Thanks, could you ask him to call Rosario when he gets in?

Permítame darle mi número telefónico.

Let me give you my number.

Gracias. Mi teléfono es 555-4565, extensión 87.

Thanks. My number is 555-4565, extension 87.

PARA CONFIRMAR DATOS

Muy bien, lo anoté todo

Okay, I've got it all down.

Se lo repito para estar seguros.

Let me repeat [riPIT] that just to make sure.

¿Dijo Avenida Franklin 465?

Did you say 465 Franklin Avenue?

Dices que tu nombre es Víctor, ¿correcto?

You said your name was Victor, right?

Me aseguraré de que
reciba el mensaje

I'll make sure he gets
the message [MEsiy].

CÓMO DEJAR RECADO
EN LA CONTESTADORA

Hola Miguel, soy
Yolanda. ¡Llámame!

Hi Miguel. It's
Yolanda. Call me!

Hola, soy Ricardo y
busco a Luis. Regresa
mi llamada lo antes
posible. Mi teléfono
es 543-6785. Gracias

Hello, this is Ricardo
calling for Luis.
Could you please
return my call as
soon as possible. My
number is 543-6785.
Thank you.

Hola Max, soy
Marina llamando de
la librería. Quería
decirte que ya
tenemos el libro que
querías leer. Llama
en cuanto puedas.

Hello Max. This is
Marina from the
library calling. I just
wanted to let you
know that we have
the book you wanted
to read. Please give
us a ring whenever
it's convenient.

PARA FINALIZAR
UNA LLAMADA

Bueno, mejor me voy. Te llamo pronto.	Well, I guess I better get going. Talk to you soon.
Gracias por llamar. Adiós por el momento.	Thanks for calling. Bye for now.
Ya tengo que colgar.	I have to let you go now.
Tengo otra llamada. Te llamo más tarde.	I have another call. I'll call you later.
Te llamo pronto. Adiós.	I'll talk to you again soon. Bye.

UNA FIESTA

Estoy preparando una fiesta – Preparing a party

Español	Inglés	Pronunciación
Tengo que	I have to	Ai hav tu
hacer una lista de invitados	make a guest list	meik e guest list
Elegir la fecha	Choose the date	Chus de dait
Elegir el tema	Choose the theme	Chus the zim
Hacer invitaciones	Make invitations	Meik inviTEIshens
Decorar la casa	Decorate the house	DekoREIT de jaus
Elegir un menú	Choose a menu	Chus e menú
Ir de compras	Shop for the food	Shop for de fud

Preparar la comida	Prepare the food	Prepare de fud
Atender a mis invitados	Entertain my guests	entrTEIN mai guests
Divertirme	Have fun	Jav fen

Juegos para fiestas – Games for parties [geims for PARtis]

A GAME FOR CHILDREN

Español	Inglés	Pronunciación
Hay paletas en una mesa en medio del cuarto.	There are some lollipops on the table in the center of the room	der ar som LALipaps on de teibl in de SENtr ov de rum
(Si hay diez niños, pones	(If there are ten children	if der ar ten children, iu

nueve paletas).	you put nine lollipops).	put nain lolipops
La música suena y ustedes caminan alrededor de la mesa.	The music plays and you walk around the table.	de MIUsik pleis and iu uok aRAUND de teibl.
Cuando la música deje de tocar, cada uno agarra un gorrito.	When the music stops each one of you grabs a hat.	juen de MIUsik stops, ich uan ov iu grabs e jat.
El que no agarre un gorrito pierde.	The one who does not grab a hat is out.	de uan ju des nat grab e jat aut.

En lugar de paletas (lollipops) o gorritos (jats) puedes usar:

Juguetes pequeños	Small toys	Smol tois

| Pelotas | Balls | Bols |
| Gorritos de fiesta | Party hats | PARti jats |

A GAME FOR TEENAGERS

Se sientan en un círculo.	Sit in a circle.	Sit in e SERkl.
Uno de ustedes se para en el centro del circulo y dice:	One of you stands in the center of the circle and says:	uan ov iu stands in de SENtr ov de SERkl and ses:
Llamada para todos los que tienen un reloj.	Call for all who have a watch.	kol for ol ju jav e uach.
Todos los que tienen un reloj se ponen de pie y cambian sillas con alguien más que tiene un reloj.	All those who have a watch stand up and switch chairs with someone else who has a watch.	ol douse ju jav e uach stand ep and suich chers wiz somuan else ju jas e uach.

No pueden sentarse en su propia silla ni en la que está al lado.	Players cannot sit in their own chair or in a chair immediately beside them.	Pleyrs cannot sit in deir oun cher or in e cher iMIdiatli biSAID dem.
El que está en el centro trata de ganar una silla.	The person in the middle tries to get a chair.	de PERson in de midl trais tu get e cher.
El que no gane una silla pierde.	The one who does not get a chair is out.	de uan ju des not get a cher is aut.
Ahora otra persona se para en el centro del círculo.	Now somebody else stands in the center of the circle.	Nau somebadi els stands in de SENtr ov de SERkl.

Opciones: en lugar de "have a watch" (tiene un reloj) puedes usar lo que se te ocurra, por ejemplo:

Trae puesto algo verde	Is wearing green	Is uering grin
Tiene un gato	Has a cat	jas e cat
Le gusta el helado	Likes ice cream	Laiks ais crim

A GAME FOR ADULTS

Antes del juego	before the game	biFOR de geim
Haz tarjetas con temas como "cine", "televisión", "libros", "ocupaciones".	Make cards with topics, like "movies", "TV" "books" "occupations"	Meik kards uid TApics, laik "muvis", "ti vi" "buks" "okiuPAIshuns"
Si es posible, consigue una pizarra y gises	If possible, get a chalkboard	If PASibl, get a chokbord and chok tu dro.

(tiza) o plumones para dibujar.	and chalk to draw.	
Consigue un cronómetro.	Get a kitchen timer or a chronometer.	Get e kitchen taimr or e kroNOmetr.

Cómo jugar –
How to play [jau tu plai]

Necesitamos dos equipos y un réferi.	We need two teams and a referee.	ui nid tu tims and e REferi.
Los equipos se turnan para dibujar y adivinar.	The teams take turns at drawing and guessing.	de tims taik terns at droing and guesing.
El otro equipo le dice a un miembro de tu equipo lo que debe dibujar.	The other team tells one member of your team what to draw.	di ODer tim tels uan MEMbr ov iur tim juat tu dro.

Él o ella dibuja y ustedes adivinan lo que dibujó.	He or she draws and you guess what he or she is drawing.	ji or shi dros and iu gues juat ji or shi is droing.
Tienen dos minutos para adivinar.	You have two minutes to guess.	iu jav tu MINets tu gues.
Si no pueden adivinar en dos minutos, pierden un punto.	If you can't guess in two minutes you miss a point.	If iu kant gues in tu MINets iu mis e point.
El equipo que tenga más puntos gana.	The team that has more points wins.	de tim dat jas mor points uins.

EL EMPLEO

SI VAS A BUSCAR TRABAJO

Estoy buscando trabajo.	I'm looking for a job. (aim LUking for *a* yob)
¿Puedo llenar una solicitud?	May I fill in an application? (mei ai fil in an apliKEIshon?)
Tengo experiencia.	I have experience. (aijav exPIriens)
No tengo experiencia.	I have no experience. (aijav nou exPIriens)
Puedo trabajar de noche.	I can work at night. (ai can uork at nait)
Puedo trabajar el fin de semana.	I can work on weekends. (ai can uork on UIKends)
Tengo mi tarjeta verde.	I have my green card. *(aijav* mai grin card)

No tengo mi tarjeta verde.	I don't have my green card. (ai *dountjav* mai grin card)
Tengo seguro social.	I have social security. (aijav SOUshal seKIUriti)
No tengo seguro social.	I don't have social security. (aí dountjav SOUshal seKIUriti)
Haré un buen trabajo.	I'll do a good job. (ail du *a* gud yob)
¿Cuánto pagan?	How much is the pay? (jau much is *de* pei?)

LA SOLICITUD DE EMPLEO

Si te piden que llenes una solicitud de empleo (application form), es conveniente que sepas las siguientes frases y palabras:

Apellido	last name	(last neim)
Nombre	first name	(ferst neim)
Otros	middle name	(midl neim)

nombres

Fecha	date	(deit)
Masculino	male	(meil)
Femenino	female	(fiMEIL)
Estado civil	marital status	(MArital *STAtus)*
Soltero(a)	single	(singl)
Casado(a)	married	(MArid)
Divorciado(a)	divorced	(diVORST)
Familiares	relatives	(rellativs)
Solicitante	applicant	(APlikant)
Ciudadano	citizen	(SItisen)
Dirección	adress	(*a*DRES)
Calle	street	(strit)
Ciudad	city	(siti)
Estado	state	(steit)
Código postal	zip code	(sip coud)
Código de área	area code	(Erea coud)
Seguro social	social security	(SOUshal seKIUriti)
Empleado	employee	(EMplo*yi*)

Empleador	employer	(emPLOier)
Escuela primaria	elementary school	(eleMENtri skul)
Secundaria	junior high	(**Y**unier *j*ai skul)
Preparatoria	high school	(*j*ai skul)
Escuela superior	college	(KOliy)
Universidad	university	(iuniVERsiti)
Entrenamiento	training	(TRElning)
Habilidades	skills	(skils)
Seguro de de vida	life insurance	(laif inSHUrans)
Seguro médico	medical insurance	(MEDicl inSHUrans)
Salario	salary	(SAleri)
Gerente	manager	(MANeyer)
Por hora	hourly	(AURli)
Por semana	weekly	(UIKli)
Por mes	monthly	(MONdli)
Tiempo extra	overtime	(OUVer taim)
Firma	signature	(SIGnachur)

FRASES ÚTILES:

Trabajo en una granja avícola.

I work at a poultry farm. (ai uork at e POLtri fann)

Roberto trabaja en una granja avícola.

Roberto works at a poultry farm. (ROBert uorks at a POLtri farm)

Puede variar esta frase para referirse a otras personas y otros tiempos, por ejemplo:

PASADO:

¿Cuándo trabajaste en la granja?

When did you work at the farm? (juen did iu uork at *de* farm)

Trabajé en la granja hace dos años.

I worked at the farm two years ago. (ai uorkt at de farm tu iers aGOU).

¿Cuándo trabajó Abel en la granja?

When did Abel work at the farm? (juen did Abel uork at *de* farm)

Trabajó en la granja el año pasado.	He worked at the farm last year. (Ji uorkt at de farm last ier.)
Los muchachos no trabajaron en la granja.	The boys didn't work at the farm. (de bois didnt uork at *de* farm.)

FUTURO:

¿Trabajarás en la granja?	Will you work at the farm? (uil iu uork at *de* farm?)
Si.	Yes, I will. (ies ai uil)
No.	No, I won't. (nou ai uont)
Voy a trabajar en la granja.	I'm going to work at the farm. (aim going tu uork at *de* farm.)
Vamos a trabajar en la granja.	We're going to work at the farm.(uir going tu uork *at de* farm.)

Luis va a trabajar en la granja.	Luis is going to work at the farm. (Luis is going tu uork *at de* farm)
Vamos a instalar un comedero nuevo.	We're going to install a new feeding trough. (uir going tu insTAL a niu FIDing trof)

Puede variar esta frase para referirse a otras cosas. Por ejemplo:

Voy a limpiar el abrevadero.	I'm going to clean the drinking trough. (aim going tu clin de DRINking trof)
Van a comprar jaulas.	They're going to buy cages. (deir going tu bai KEIyes.)

PRESENT PERFECT:

¿Has trabajado en granjas?	Have you worked at farms? (jav iu uorkt at farms)

Sí.	Yes, I have. (ies, aijav)
No.	No, I haven't. (nou, ai javnt)
¿Ha trabajado él en granjas?	Has he worked at farms? (jas ji uorktat farms)
Sí.	Yes, he has. (ies, ji jas)
No.	No, he hasn't. (nou, ji jasnt)
¿Han trabajado en granjas? (ellos)	Have they worked at farms? (jav dei uorkt at farms)
Sí.	Yes, they have. (ies, dei jav)
No.	No, they haven't. (nou, dei javnt)

Mesera — Waitress
(ueitres)

Español	Inglés	Pronunciación
1. mostrador	counter	(CAUNter)
2. cafetera	coffee machine	(KOFi maSHIN)
3. repostero	pastry cook	(PEIStri kuk)
4. estante de periódicos	newspaper rack	(nius PEIpr rak)
5. mesera	waitress	(UIETres)
6. bandeja (charola)	tray	(trei)
7. botella	bottle	(botl)
8. vaso	glass	(glas)
9. limonada	lemonade	(LEMoNEID)
10. taza de café	cup of coffee	(cup of KOfi)
11. señor	gentleman	(YENTLman)
12. señora	lady	(Ieidi)
13. periódico	newspaper	(nius PEIper)

1 counter

2 coffee machine

3 pastry cook

4 newspaper rack

5 waitress

6 tray

7 bottle

8 glass

9 lemonade

10 cup of coffee

11 gentleman

12 lady

13 newspaper

14 ice cream

15 beer mug

16 beer froth

17 ashtray

18 shelf

14. helado	ice cream	(ais crim)
15. tarro de cerveza	beer mug	(bir mug)
16. espuma de la cerveza	beer froth	(bir froz)
17. cenicero	ashtray	(ash trei)
18. estante	shelf	(shelf)
19. vasos	glasses	(GLASes)
20. postre	dessert	(diSERT)
21. carta	menu	(meniu)
22. vaso de agua	glass of water	(glas *ofUATer*)
23. jefe de meseros	head waiter	(jed UElter)
24. cubitos de hielo	ice cubes	(ais kiubs)
25. servilleta	napkin	(NAPkin)
26. plato de ensalada	salad plate	(SALad pleit)
27. aderezo para ensalada	salad dressing	(SALad DRESing)
28. queso	cheese	(chiis)

19 glasses

20 dessert

21 menu

22 glass of water

23 head waiter

24 ice cubes

25 napkin

26 salad plate

27 salad dressing

28 cheese

29 fish

30 meat with trimmings

31 chicken

32 fruit

33 juice

34 mineral water

35 cash desk

36 cashier

37 salt cellar

38 pepper pot

29. pescado	fish	(fish)
30. carne con guarnición	meat with trimmings	(mit uiz TRlmings)
31. pollo	chicken	(Chiken)
32. fruta	fruit	(frut)
33. jugo	juice	(yus)
34. agua mineral	mineral water	(MINeral UATer)
35. caja	cash desk	(cash desk)
36. cajera	cashier	(kaSffilR)
37. salero	salt cellar	(solt SELer)
38. pimentero	pepper pot	(pePER pot)

FRASES ÚTILES:

¿Están listos para ordenar?	Are you ready to order? (ar iu redi tu *arder)*
¿Puedo ver el menú?	May I see the menu? (mei ai si *de* menú)
¿Qué le gustaría ordenar?	What would you like to order? (juat wud iu laik tu order?

Me gustaría_____.	I'd like _____. (aid laik _____)
¿Qué tipo de aderezo desea?	What kind of dressing would you like? (juat kaind of DRESing uud iu laik)
¿Qué tipo de helado va a tomar?	What kind of ice cream will you have? (juat kaind of ais crim uil iujav)
Tomaré de vainilla, por favor.	I'll have vanilla, please. (ailjav vaNIla, plis)
¿Qué bebida va a querer?	What will you have to drink? (juat uil iu hav tu drink)
Café.	I'll have coffee. (ail hav COFi)
¿Desea algo más?	Would you like anything else? (uud iu laik enizing els)

Sí, gracias. Quisiera un vaso de agua.	Yes, thank you. I'd like a glass of water. (ies, zank iu. Aid laik e glas ofuoter)
No, Gracias.	No, thanks. (nou, zanks)

Modista — Dressmaker (dresmeiker)

Español	Inglés	Pronunciación
1. modista(o)	dressmaker	(dres MEIker)
2. sastre	tailor	(TEIlor)
3. costurera	seamstress	(SIMStres)
4. cinta métrica	tape measure	(teip MESHur)
5. aguja	needle	(NIDle)
6. alfiler	pin	(pin)
7. bolsa	pocket	(POKet)
8. carrete	spool	(spul)
9. costura	seam	(sim)
10. puntadas	stitches	(STIches)

1 dressmaker

2 tailor

3 seamstress

4 tape measure

5 needle

6 pin

7 pocket

8 spool

9 seam

10 stitches

11 collar

12 thimble

13 hem

14 hanger

15 fabric

16 button hole

17 cutting shears

18 cutting table

19 sewing machine

20 thread

21 pattern

22 button

23 steam iron

11. cuello	collar	(KOLar)
12. dedal	thimble	(ZIMbl)
13. dobladillo	hem	(jem)
14. gancho	hanger	(JANguer)
15. tela	fabric	(FABrik)
16. ojal	button hole	(BUTn joul)
17. tijeras de corte	cutting shears	(CUTing shiirs)
18. mesa de corte	cutting table	(CUTing teibl)
19. máquina de coser	sewing machine	(soing maSHIN)
20. hilo	thread	(zred)
21. patrón	pattern	*(PATern)*
22. botón	button	(BUTn)
23. plancha de vapor	steam iron	(stim airon)

FRASES ÚTILES:

La costurera está cosiendo un ojal.	The searnstress is sewing a button hole. *(de* SIMStres is SOing *a BUTnjoul)*

Puede variar este enunciado utilizando el vocabulario que se da arriba. Por ejemplo:

La modista está cortando una falda.	The dressmaker is cutting a skirt. *(de* dres MA1Ker is CUTing *a* skirt)
La costurera está usando un dedal.	The searnstress is using a thimble. *(de* S1MStres is UISing *a* Z1Mbl)
Estoy trabajando en la máquina de coser.	I'm working on the sewing machine. (aim UORKing on *de* SOing maSHIN)
Estás trabajando en la mesa de corte.	You're working at the cutting table. (uir UORking at *de* CUTing teibl)

También puede variar las frases para referirse al pasado.

La modista estaba cortando una falda.	The dressmaker was cutting a skirt. *(de*

	dres MAIKer uas CUTing *a* skirt)
La costurera estaba usando un dedal.	The seamstress was using a thimble. *(de* SIMStres uas UISing *a* ZIMbI)
Estaba yo trabajando en la máquina de coser.	I was working on the sewing machine. (ai uas UORKing on *de* SOing maSHIN)
Estabas trabajando en la mesa de corte.	You were working at the cutting table. (ui uer UOURKing at *de* cuting teibl)
Las costureras estaban corando patrones	The seamstresses were cutting patterns. (de SIMStreses uer cuting *PATerns)*

Estilista — Hairdresser
(jeir dreser)

Español	Inglés	Pronunciación
l. salón de belleza	beauty parlor	(biuti PARIr)
2. tinte para el pelo	hair color	(jeir COlor)
3. cepillo para el cabello	hair brush	(jeir brush)
4. rizador	curler	(KERler)
5. peine	comb	(com)
6. pinza para el cabello	hair clip	(jeir klip)
7. espejo	mirror	(mirer)
8. secador	drier	(DRAIer)
9. instalación de lavado	shampoo unit	(shamPU IUNit)
10. mesita de servicio	service tray	(SERvis trei)
11. peluca	wig	(uig)

12. máquina eléctrica para cortar el cabello	electric clippers	(eLEKtric *KLIpers)*
13. tijeras	scissors	(SISors)
14. tijeras para entresacar el cabello	thinning scisors	(zining SISors)
15. cabello lacio	straight hair	(streit jeir)
16. cabello rizado	curly hair	(curli jeir)
17. cabello corto	short hair	(short jeir)
18. cabello largo	long hair	(long jeir)
19. pelo suelto	hair wom loose	(jeir uom lus)
20. coleta	pigtail	(pig teil)
21. peinado	hair do / hair style	(jeir du) / (jeir stail)
22. cola de caballo	pony tail	(POUni teil)
23. trenzas	braids	(breids)

24. cabello recogido hacia atrás	swept back hair	(suept bakjeir)
25. fleco	bangs	(bangs)
26. raya en medio	center parting	(CENter PARTing)
27. raya al lado	side parting	(said PARTing)

Asistente de oficina — Office assistant (ofis asistent)

Español	Inglés	Pronunciación
1. archivo	file cabinet	(fail KABinet)
2. calendario	calendar	(KALender)
3. conmutador	switchboard	(SUICHbord)
4. máquina de escribir	typewriter	(taip RAITer)

5. teclado	keyboard	(ki bord)
6. block de taquigrafia	shorthand pad	(SHORTjand pad)
7. calculadora	calculator	(KALkiuLEItr)
8. carta comercial	business letter	(BISnes letr)
9. sillón	swivel chair	(suivl cheir)
10. escritorio	desk	(desk)
11. agenda	appointrnent book	(aPOlNTment buk)
12. lámpara de escritorio	desk lamp	(desk lamp)
13. teléfono	telephone	(TELefoun)
14. auricular	receiver	(riSIver)
15. armario	cabinet	(KABinet)
16. caja fuerte	safe	(seif)
17. mesa de reuniones	conference table	(KONfrens teibl)
18. computadora	computer	(comPIUtr)
19. engrapadora	stapler	(STEIpler)

1 file cabinet

2 calendar

3 switchboard

4 typewriter

5 keyboard

6 shorthand pad

7 calculator

8 business letter

9 swivel chair

10 desk

11 appointment book

12 desk lamp

13 telephone

14 receiver

15 cabinet

16 safe

17 conference table

20. regla	ruler	(RULer)
21. oficinista	clerk	(clerk)
22. cliente	customer	(KUStomer)
23. fichero	card index	(card INDex)
24. mecanógrafa	typist	(TAIPist)
25. secretaria	secretary	(SEcreTAri)
26. jefe	boss	(bos)
27. ejecutivo	executive	(ekSEciutiv)
28. gráfica de estadística	statistics graph	(staTIStics graf)
29. papelera	waste paper basket	(ueist PEIper basket)

FRASES ÚTILES:

¿Puedes operar el (la) _____?

Can you operate the_____? (can iu OpeREIT de _____?

Tengo experiencia como _____.

I have experience as a _____. (aj av exPIRiens as *e* _____.

La secretaria está archivando cartas.	The secretary is filing letters. (de SECretri isFAlling LETers)
Las mecanógrafas están escribiendo reportes.	The typists are typing reports. (de TAIpists ar TAIping riPORTS)
Los ejecutivos están en la sala de juntas.	The executives are in the conference room. (di eXEcuitivs ar in *de* CONferens rum)
¿Qué estás haciendo?	What are you doing? Guat ar iu duing)
Estoy trabajando en computadora.	I'm working at the la computer. (aim uorking *at de* comPIUter)

TÍTULOS DE ESTA COLECCIÓN

Inglés para enamorar

Inglés para la ciudadanía

Inglés para la mujer

Inglés para la vida diaria

Impreso en Offset Libra

Francisco I. Madero 31

San Miguel Iztacalco,

México, D.F.